주머니 안에서 마루가 나와요.
우주가 까르르 웃어요.

책 발자국 Level 3

축구

글 김미혜 그림 차선희

교육공동체벗

선생님과 학부모님께

이 그림책은 초기 문해력 교육을 위한 수준 평정 그림책입니다.
아이의 읽기 행동을 관찰하고 기록한 결과를 바탕으로 아이의 눈높이에 맞는
책을 골라 주세요. 아이 스스로 책을 선택할 수 있게 해 주시면 더 좋아요.
그리고 가정과 학교에서 아이와 함께 안내된 읽기를 해 주세요.
이 책에는 한글의 열 번째 자음 'ㅊ'이 들어간 '축구', '축구장', '천천히',
'차다', '축구공', '참' 등의 낱말이 나옵니다. 'ㅊ'의 소리를 잘 듣고
'ㅊ'이 들어 있는 낱말을 더 찾아보세요. '천천히' 대신 '빨리', '멀리' 대신
'가까이'를 넣어서 "축구공을 ○○ 찼어요."라는 문장을 만들어 보고,
반대말에 대해서 더 알아보도록 해요. 그림에 나타난 우주와 마루의
움직임에 대해 이야기를 나눈 후, 책 속의 문장을 활용해
둘의 움직임을 문장으로 표현해 보는 것도 좋습니다.

"마루야, 우리 이제 축구 하자."

둘은 축구장에서 축구를 해요.

우주가 천천히 공을 차고,
마루에게 말해요.
"마루야, 공 가져와."

마루가 공을 가지고
우주에게 달려와요.

우주가 축구공을 멀리 찼어요.

마루는 축구를 참 잘하네요.

이 책은 _____ 의 것입니다.

축구

ⓒ 김미혜, 차선희, 2025

2025년 11월 3일 처음 펴냄

글쓴이 김미혜 | **그린이** 차선희 | **편집** 이진주 | **디자인** 더디앤씨 | **인쇄** 보명C&I | **제작** 세종PNP
펴낸이 김기언 | **펴낸곳** 교육공동체 벗 | **이사장** 오정오 | **사무국** 최승훈, 설원민, 공현
출판등록 제2011-000022호(2011년 1월 14일) | **주소** (03998) 서울시 마포구 월드컵북로7길 76-12 102호
전화 02-332-0712 | **전송** 0505-115-0712 | **홈페이지** communebut.com

ISBN 978-89-215-7 67700
ISBN 978-89-195-2(세트)

축구	BFL	3
	어절 수	38

값 2,300원